Catalogage avant publication de Bibliothèque et
Archives nationales du Québec et Bibliothèque et Archives Canada

Rippin, Sally
Le message secret
(Lili B Brown)
Traduction de : The secret message.
Pour enfants de 6 ans et plus.
ISBN 978-2-7625-9346-4
I. Fukuoka, Aki, 1982- . II. Rouleau, Geneviève, 1960- .
III. Titre. IV. Collection : Rippin, Sally. Lili B Brown.

PZ23.R56Me 2011   j823'.914   C2011-942032-5

Titre original : Billie B Brown
Le message secret (The secret message)
publié avec la permission de Hardie Grant Egmont

Texte © 2011 Sally Rippin
Illustrations © 2011 Aki Fukuoka
Logo et concept © 2011 Hardie Grant Egmont
Le droit moral des auteurs est ici reconnu et exprimé.

Version française
© Les éditions Héritage inc. 2011
Traduction de Geneviève Rouleau
Conception et design de Stephanie Spartels
Illustrations de Aki Fukuoka

Nous reconnaissons l'aide financière du gouvernement du Canada
par l'entremise du Fonds du livre du Canada (FLC) pour nos activités d'édition.

Nous reconnaissons l'aide financière du gouvernement du Québec
par l'entremise du Programme de crédit d'impôt pour l'édition de livres – SODEC.

Dépôts légaux : 4e trimestre 2011
Bibliothèque nationale du Québec
Bibliothèque nationale du Canada

ISBN : 978-2-7625-9346-4

Les éditions Héritage inc. 2011
300, rue Arran, Saint-Lambert (Québec) J4R 1K5
Téléphone : 514 875-0327 — Télécopieur : 450 672-5448
Courriel : information@editionsheritage.com

Le message secret

Texte : Sally Rippin
Illustrations : Aki Fukuoka
Traduction : Geneviève Rouleau

Chapitre un

Lili B Brown a un maillot
de bain, sept coquillages,
un seau et une petite pelle.
Sais-tu ce que signifie le « B »
dans « Lili B Brown » ?

Baignade !

Ce sont les vacances d'été
et Lili B Brown est
à la plage. Aujourd'hui,
elle a décidé de construire
un château de sable.
Lili va faire le plus gros,
le plus beau château de sable
que tu aies jamais vu.

Sept coquillages

Un seau
et une pelle

Un maillot
de bain

La maman de Lili est
en train de lire un livre
sous un parasol.
Son père lit le journal.
Parfois, ils s'endorment.
Peux-tu imaginer?
Ils ne savent pas s'amuser!
Lili applique de l'écran
solaire sur sa peau et
s'assoit sur la plage.

Elle commence

la construction de son château

de sable. Une famille avec

deux petites filles se trouve

tout près. Elles sont en train

de construire un château,

elles aussi. Leur château

de sable est très gros et

très beau. Lili est un petit peu

jalouse. Elle aimerait que

Thomas, son meilleur ami,

soit là pour l'aider.

«Dîner!» annonce la mère

de Lili. Juste à temps!

L'estomac de Lili gargouille.

Lili avance lentement

dans le sable pour se mettre

à l'ombre. Sa maman

lui tend un sandwich.

Même si elle s'est essuyé

les mains, Lili trouve

son sandwich **croquant**.

Son papa lui demande alors :

«Aimeriez-vous un peu

plus de sable, madame,

pour agrémenter

votre "sabwich"?»

Il dit ça chaque fois

qu'ils mangent

à la plage et

chaque fois,

Lili se met à rire.

Elle regarde

les filles

construire leur château.

L'une d'elles semble avoir

à peu près le même âge

que Lili.

Elle a les cheveux roux et
des taches de rousseur,
et elle porte un maillot
de bain rose à pois blancs.
Lili aimerait, elle aussi, avoir
un maillot de fantaisie aussi
joli. «Tu pourrais aller
leur demander de jouer
avec elles», propose
sa maman. Lili hoche la tête.
Elle est gênée.

Elle aimerait bien jouer avec ces petites filles, mais elle a trop **peur** de le leur demander.

Et si elles ne veulent pas jouer avec moi ? pense Lili.

Et si elles se moquent de moi

ou ne sont pas gentilles ?

Non, se dit Lili.

C'est beaucoup plus prudent

de jouer toute seule.

Chapitre deux

Lili finit son sandwich et retourne à la construction de son château de sable. Elle décide qu'il aurait besoin d'un fossé. Lili creuse, creuse et creuse.

Sa pelle se heurte à quelque chose de dur. **Cling !**

Lili met sa main dans le trou. Elle touche quelque chose de doux. Elle creuse encore et trouve une toute petite bouteille. Elle est verte comme la mer et aussi petite que sa main. Lili tient la bouteille face au soleil et tente de voir à l'intérieur.

Le verre est tellement
sombre que c'est impossible.
Une des petites filles
s'approche d'elle pour
ramasser des coquillages.
Elle remarque la bouteille
dans la main de Lili.

«Oh! s'exclame-t-elle,
qu'est-ce qu'il y a
à l'intérieur?» Lili hausse
les épaules. «Je ne sais pas»,
répond-elle. «C'est beau»,
ajoute la petite fille.
Elle tend ses doigts pleins
de sable pour toucher
la bouteille verte.
«Je m'appelle Lili», dit Lili.

«Je suis Charlotte, répond
la petite fille. C'est ma sœur,
Juliette.» Elle pointe
du doigt la petite fille
qui porte le si joli maillot.

Juliette, pense Lili.

C'est un beau prénom.

Puis, elle a une idée.

Une super bonne idée.

«En fait, je pense qu'il y a

un message secret dans

cette bouteille, chuchote Lili

dans l'oreille de Charlotte.

Il vient probablement

d'un pirate.»

«Wow ! s'exclame Charlotte.

Ses yeux sont grands ouverts.

Il faut que je le dise

à Juliette ! Elle adore

les pirates ! » Lili regarde

Charlotte courir sur la plage

pour rejoindre Juliette qui

l'attend.

Chapitre trois

Cet après-midi, Lili, sa mère
et son père sont allés
jusqu'aux boutiques pour
acheter des cornets de crème
glacée. Lili prend toujours de
la crème glacée à la banane
et aux pépites de chocolat,
saupoudrée de paillettes
multicolores.

Lili doit vite manger

sa crème glacée pour éviter

qu'elle fonde.

Déjà, des gouttes font

flip-flop, en tombant sur

ses orteils.

Lili retourne à la plage et
finit sa crème glacée.

Quand elle lève les yeux,
elle voit une fillette debout
devant elle. C'est Juliette.

Le cœur de Lili se met
à battre comme les ailes
d'un papillon. «Ma sœur
m'a dit que tu avais trouvé
une bouteille avec un message
à l'intérieur, dit Juliette.

Est-ce que je peux la voir?»

Lili sort la bouteille de
sa poche. Juliette plisse
les yeux en tentant de voir
à travers le verre foncé.
«Je ne vois aucun message»,
dit–elle en fronçant les
sourcils. «Il doit être très
petit, répond Lili. Pour
entrer dans la bouteille.»
«Mmmm, fait Juliette.
À ton avis, qui l'a écrit?»

Lili hausse les épaules.

Elle est un peu **gênée**.

«Probablement un pirate.»

Juliette sourit. «Peut-être

une princesse? dit-elle.

Capturée par les pirates?»

«Ou peut-être le prince

qui a tenté de la sauver?

suggère Lili, avec agitation.

Mais son bateau a coulé

et il est coincé sur une île

déserte!»

« Ouais ! dit Juliette.

Veux-tu nous aider à

construire notre château

de sable ? » Lili regarde

ses parents. « Bien sûr ! »

répond le papa de Lili.

« Mais d'abord, viens mettre

de l'écran solaire »,

ajoute la maman de Lili.

Lili se tortille pendant que
sa mère la couvre de crème
solaire. Elle se met ensuite
à courir avec Juliette vers
le gros et beau château.
C'est là que Charlotte
les attend. Lili tient la petite
bouteille dans sa main.
Les trois filles tentent
de deviner ce qui se trouve
à l'intérieur.

Lili est très fière d'avoir
trouvé quelque chose d'aussi
magique. Puis, elle a une
idée. Elle dépose doucement
la bouteille en équilibre sur
le dessus du château.
C'est magnifique!
Maintenant, c'est vraiment
le plus gros et le plus beau
château de toute la plage.

Charlotte saute d'excitation.
Juliette se tient en équilibre
sur ses mains. Lili décide de
faire la même chose.

Mais elle n'a pas l'habitude
de se tenir sur ses mains
dans le sable mou. Elle perd
l'équilibre et… **boum!**
Lili tombe par terre. En
plein sur le beau château!
Juliette et Charlotte sont
bouche bée. Lili se relève
rapidement. Mais il est
trop tard. Le château est
complètement détruit.

Lili fixe les ruines du château. Juste au milieu, elle voit sa petite bouteille verte. Elle est cassée en deux.

Les filles s'agenouillent pour la regarder de plus près.

Elles constatent alors…

qu'il n'y a rien à l'intérieur.

Rien

du tout.

Lili cache son visage avec
ses mains. De grosses larmes
roulent sur ses joues.
Elle ramasse les deux
morceaux de la bouteille
et retourne vers ses parents
en courant.

Chapitre quatre

Pour Lili, c'est la pire journée de sa vie.

Elle a construit un château et brisé un château.

Elle a trouvé une bouteille et brisé la bouteille.

Et le pire, c'est qu'elle avait

une nouvelle amie.

Maintenant, elle est certaine

que cette amitié est brisée,

elle aussi. Juliette savait

maintenant qu'il n'y avait

pas de message dans

la bouteille et que

Lili racontait des histoires.

Juliette ne voudrait jamais

plus être son amie !

Lili pleure, assise sur
sa serviette, à l'ombre
du parasol. « Pourquoi tu ne
vas pas simplement
t'excuser ? » suggère sa mère.

Lili fait non de la tête.

Elle a bien trop **peur**

d'aller parler aux filles,

maintenant. Surtout après

ce qu'elle a fait ! Lili B

Brown excelle dans plusieurs

choses. Elle est habile

pour grimper et est capable

de faire de belles cabanes.

Elle est bonne au soccer et pour les festins de minuit. Mais ce que Lili B Brown fait de mieux, c'est de trouver de bonnes idées.

Lili essuie ses larmes.

Elle regarde la petite bouteille brisée dans sa main.

Puis, elle a une idée.

C'est la plus super meilleure
idée de la journée !
Peux-tu deviner à quoi
pense Lili ?

Lili déchire un morceau
du journal de son papa.
Elle prend ensuite sa plume
et écrit de sa plus petite
écriture :

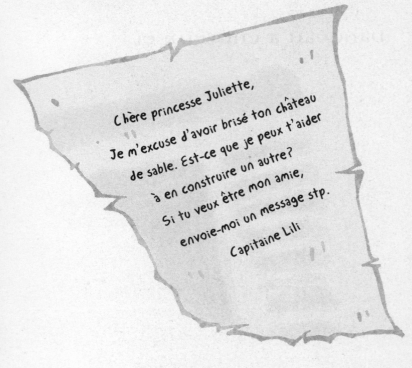

Chère princesse Juliette,

Je m'excuse d'avoir brisé ton château
de sable. Est-ce que je peux t'aider
à en construire un autre?
Si tu veux être mon amie,
envoie-moi un message stp.

Capitaine Lili

Lili roule le message très
serré et l'insère dans l'une
des moitiés de la bouteille.
Elle place l'autre moitié
sur le dessus, prend un
bandeau à cheveux et
l'enroule autour des deux
morceaux. La bouteille
retient parfaitement
le message. Lili attend
le moment où Charlotte et
Juliette iront se baigner.

Elle court et va déposer
la bouteille sur la serviette
de Juliette. Elle revient
en courant. Juliette sort
de l'eau la première.
Elle prend sa serviette.
Lili voit la petite bouteille
verte tomber dans le sable.
Juliette la ramasse.
Lili retient son souffle et
détourne les yeux.
Elle n'ose pas regarder !

Puis, Charlotte court
vers Lili, avec la bouteille
dans sa main. Lili ouvre
la bouteille.
Son cœur bat
très fort. Mais…
mon Dieu !
La bouteille
est vide !
Lili baisse la tête.

Finalement, Juliette ne veut
pas être son amie…
« Oh, dit Charlotte, j'ai failli
oublier. La princesse Juliette
dit qu'elle aimerait
beaucoup être ton amie.
Elle dit aussi qu'elle s'excuse
de ne pas avoir envoyé de
message, mais elle n'avait
pas de crayon ni de papier. »
Lili éclate de rire.

Ce n'est pas la pire journée,
mais le plus beau jour
de sa vie ! Lili est à la plage,
le soleil brille et, mieux
encore, elle a une toute
nouvelle amie !

Collectionne-les tous !

Le cours de ballet
Sally Rippin
1

veut jouer au soccer
Sally Rippin
2

Ma deuxième meilleure amie
Sally Rippin
3

Le festin de minuit
Sally Rippin
4

joue à la coiffeuse
Sally Rippin
5

L'assistante du professeur
Sally Rippin
6

Le cadeau parfait
Sally Rippin
7

Le message secret
Sally Rippin
8

La grande sœur
Sally Rippin
9

Tout un anniversaire !
Sally Rippin
10

Le petit mensonge
Sally Rippin
11

Le grand projet
Sally Rippin
12